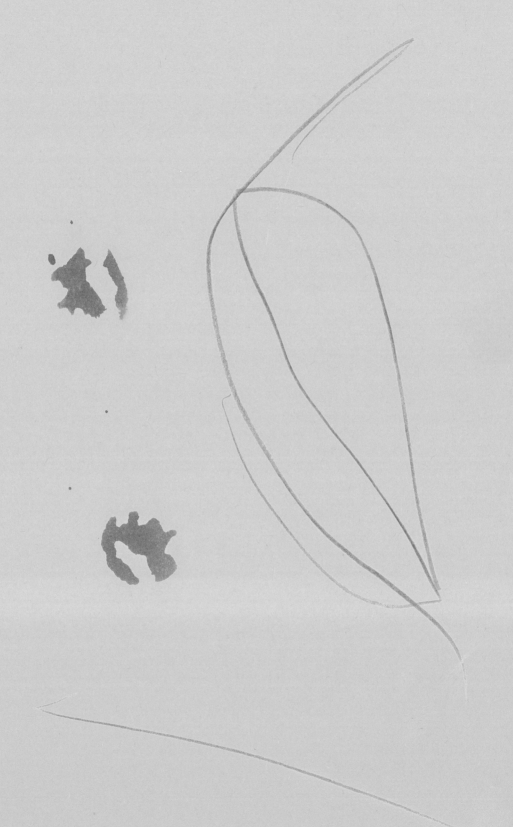

Jon Blake · Axel Scheffler
He Duda

Jon Blake · Axel Scheffler

He Duda

Aus dem Englischen von Salah Naoura

Eltern
Eltern
family

He Duda
wusste nicht,
was er war.

»Bin ich ein Affe?«, dachte er.
»Bin ich ein Koala-Bär?«
»Bin ich ein Stachelschwein?«

He Duda wusste nicht, wo er wohnen sollte.

»Soll ich in
einer Höhle
wohnen?«,
dachte er.

»Oder in einem Nest?« »Oder in einem Spinnennetz?«

He Duda wusste nicht, was er essen sollte.

»Soll ich
Fisch essen?«,
dachte er.

»Oder Kartoffeln?«

»Oder Würmer?«

He Duda wusste nicht, warum er
so große Füße hatte.

»Vielleicht zum Wasserskifahren?«, dachte er.

»Vielleicht als Sitz für Mäuse?«

»Vielleicht als Regenschutz?«

He Duda sah die Vögel im Baum und beschloss, auf einem Baum zu wohnen.

He Duda sah, dass die Eichhörnchen Eicheln
aßen, und beschloss, Eicheln zu essen.

Aber warum er so große Füße hatte,
wusste er immer noch nicht.

Eines Tages war auf der Waldlichtung alles in heller Aufregung. Alle Kaninchen versammelten sich unter He Dudas Baum.

»He Duda! Du musst sofort runterkommen!«, riefen sie. »Dahinten kommt das lange Luder!«

»Lange Luda?«, fragte He Duda. »Wer ist denn das?«

Aber die Kaninchen waren viel zu aufgeregt, um zu antworten. Sie rannten in alle Richtungen davon und verschwanden in ihren Löchern.

He Duda blieb auf seinem Baum sitzen,
knabberte noch eine Eichel und dachte über
seine großen Füße nach.

Lange Luda kroch aus dem Gebüsch.
Ihre Zähne waren so scharf wie Glassplitter
und ihre Augen waren so schnell wie Flöhe.

Lange Luda schlich um die Löcher, aber kein
Kaninchen ließ sich blicken.

Lange Luda sah nach oben.
He Duda winkte.

Lange Luda begann, den Baum hinaufzuklettern.
Die anderen Kaninchen streckten die Nasen
aus ihren Löchern und zitterten.

»Hallo!«, sagte He Duda zu Lange Luda.

»Bist du ein Dachs?«

»Oder ein Elefant?«

»Oder ein schnabliges Schnabeltier?«

Lange Luda kam näher. »Nein, mein Freund«,
flüsterte sie. »Ich bin ein Wiesel.«

»Wohnst du in einem Teich?«, fragte He Duda.

»Oder auf einem Damm?«   »Oder in einer Hundehütte?«

Lange Luda kam noch näher.
»Nein, mein Freund«, zischte sie.
»Ich wohne in der dunkelsten
Ecke des Waldes.«

»Frisst du Kohl?«, fragte He Duda.

»Frisst du Insekten?«

»Frisst du Obst?«

Lange Luda kam direkt auf He Duda zu.
»Nein, mein Freund«, fauchte sie. »Ich fresse
Kaninchen! Kaninchen wie *dich*!«

He Duda wurde blass.
»Bin ich ... ein Kaninchen?«, stotterte er.

Lange Luda nickte … und leckte sich die Lippen …

und sprang!

He Duda musste nicht lange überlegen. Blitzschnell
drehte er sich um und schlug mit seinen Riesenfüßen
aus. Lange Luda segelte durch die Luft, weit weit weg,
dahin zurück, wo sie hergekommen war.

Die anderen Kaninchen hüpften herum und schrien
Hurra und umarmten sich.
»He Duda, du bist ein Held!«, riefen sie.

»Wie komisch«, überlegte He Duda.
»Ich dachte, ich wäre
ein Kaninchen.«

Axel Scheffler, geboren 1957 in Hamburg, studierte Kunstgeschichte und absolvierte ein Grafikstudium in Bath/England. Heute gehört Axel Scheffler zu den bedeutendsten Kinder- und Jugendbuchillustratoren. Sein Bilderbuch *Der Grüffelo* (zusammen mit Julia Donaldson) wurde mit dem renommierten Smarties-Preis ausgezeichnet. Axel Scheffler lebt heute als freischaffender Illustrator in London.

Jon Blake, geboren 1954 in Southampton/England, arbeitete als Lehrer und veröffentlichte neben Fernseh- und Bühnenstücken mehrere Bücher.

ELTERN Abenteuer-Edition

Abenteuer Lesen

Eine Gemeinschaftsproduktion von ELTERN / ELTERN family und Beltz & Gelberg, 2006

© 1992 Beltz & Gelberg
in der Verlagsgruppe Beltz · Weinheim Basel
Alle Rechte für die deutschsprachige Ausgabe vorbehalten
© 1992 Jon Blake (Text) und Axel Scheffler (Bild)
Die englische Originalausgabe erschien unter dem Titel *Daley B.* bei Walker Books, London
Aus dem Englischen von Salah Naoura
Neue Rechtschreibung
Reihengestaltung: Mutter GmbH, Hamburg
Gesamtherstellung:
Druck Partner Rübelmann GmbH, Hemsbach
Printed in Germany
ISBN 13: 978-3-407-73011-4
ISBN 10:   3-407-73011-X
1 2 3 4 5   09 08 07 06

www.eltern.de
www.beltz.de